Élisabeth
princesse à Versailles

Annie Jay

Illustré par Ariane Delrieu

Élisabeth
princesse à Versailles

1. Le Secret de l'automate

Albin Michel Jeunesse

Élisabeth

Benjamine de la fratrie,
petite-fille et sœur de roi,
princesse Élisabeth,
11 ans, est la chouchoute
de la famille et elle sait en
jouer. Intelligente et sportive,
un peu rebelle, elle va vivre
des aventures palpitantes
à la Cour de Versailles.

Louis XV

Grand-père d'Élisabeth,
roi de France de 1715 à 1774.

Louis XVI

Frère aîné d'Élisabeth,
roi de 1774 à 1793.

Marie-Antoinette

Épouse de Louis XVI.

Clotilde

Sœur d'Élisabeth.

Madame de Marsan

Gouvernante d'Élisabeth.

Madame de Mackau

Sous-gouvernante d'Élisabeth.

Angélique de Mackau

Fille de Madame de Mackau,
la sous-gouvernante,
et meilleure amie d'Élisabeth.

Théophile

Page, ami d'Élisabeth.

Chapitre 1

Versailles, 1774, salon du roi.

Mme de Marsan salua le roi Louis XV d'une profonde révérence :

– Sire, lui dit-elle, je n'en peux plus ! Madame Élisabeth[1], votre petite-fille, est insupportable !

Le vieil homme se leva péniblement de son fauteuil, sourcils froncés sous sa perruque poudrée. Depuis quelques jours, il se sentait très fatigué.

– Quelle bêtise a-t-elle commise, cette fois ?

---

1. En France, toutes les filles de roi et de Dauphin étaient appelées « Madame » dès leur naissance.

– À 10 ans passés, elle est incapable de faire une simple multiplication ! Cette effrontée m'a affirmé que « cela ne lui servirait à rien » !

La gouvernante, grande et sèche, reprit en relevant le menton :

– Vos autres petits-enfants, que j'ai eu l'honneur d'élever[2], semblaient des anges comparés à elle. Autant sa sœur, Madame Clotilde, se montre docile et appliquée, autant Madame Élisabeth, grand Dieu ! Quelle peste !

Elle arrêta net sa phrase, se rappelant trop tard que l'on ne pouvait traiter de « peste » une princesse, même si elle était odieuse.

– Sire, s'indigna-t-elle, elle est insolente et d'un orgueil démesuré ! À la moindre contrariété, elle entre dans des colères terribles...

– Que souhaitez-vous de moi ? l'interrompit le roi. L'autorisation de punir ma petite-fille ? Faites-le, à condition de ne pas être trop sévère. Elle n'a guère eu de chance dans la vie.

---

2. Mme de Marsan (1720-1803) était la gouvernante des Enfants de France. Elle avait la responsabilité d'élever les princes jusqu'à 7 ans et les princesses jusqu'à leur mariage.

Elle a perdu son père alors qu'elle n'était âgée que de 1 an, et sa mère s'est éteinte peu après. Cette malheureuse est orpheline.

– J'aimerais de l'aide, Sire. Madame Élisabeth me mange tout mon temps avec ses effronteries. Or Madame Clotilde vient d'avoir 14 ans. Elle se marie l'an prochain, et je dois la préparer à son futur rôle...

– Que vous faut-il ? s'impatienta Louis XV.

– On m'a parlé d'une femme qui fait des merveilles avec les enfants... hum... difficiles. Il s'agit d'une veuve dans le besoin. Elle saura mettre notre princesse au pas. Elle ne désire que deux choses en échange de ses services, que sa fille Angélique ait une place à Saint-Cyr[3], et qu'on lui offre une dot[4], pour la marier dans quelques années.

Le souverain se frotta le menton de sa vieille main. Il hésitait.

Mme de Marsan reprit :

---

3. Pensionnat proche de Versailles, où l'on éduquait les jeunes filles pauvres de la noblesse dont la famille s'était distinguée au service du royaume.

4. Argent qu'une femme apportait à son époux en se mariant.

– Madame Élisabeth est destinée à devenir reine d'un grand pays. Seulement, avec son fichu caractère, quel prince voudra d'elle ?

Choqué par ces propos, Louis XV la toisa du regard. Cependant, Mme de Marsan avait raison. Il hocha la tête :

– J'accepte. Faites venir cette…

– Il s'agit de Mme de Mackau, Sire. Merci, je la convoque aussitôt !

Chapitre 2

Seule dans son petit salon aux boiseries dorées, Élisabeth remontait la clé de son automate. C'était un cadeau de son grand-père, le roi, une véritable œuvre d'art.

Il représentait une femme jouant du clavecin. Tandis que la mélodie s'élevait, les mains de la musicienne miniature couraient sur le minuscule clavier.

Bouche bée, Élisabeth l'attrapa, puis elle s'assit sur le tapis, sa robe de soie bleue bouffant joliment autour d'elle.

– Comment fait-elle ?

Naturellement, personne ne lui répondit. Personne ne s'amusait jamais avec elle. D'ailleurs, hormis Clotilde et Marie-Antoinette, la jeune épouse de son frère Louis-Auguste[5], personne ne lui parlait jamais.

Quand Élisabeth était petite, Marie-Antoinette, au mépris de l'étiquette[6], n'hésitait pas à jouer avec elle. Elle se mettait même à quatre pattes pour faire le cheval ! Cela révoltait la sévère Mme de Marsan qui n'osait pas crier : Marie-Antoinette deviendrait un jour reine de France. Si elle voulait promener la princesse sur son dos, on ne pouvait le lui interdire !

Mais Marie-Antoinette venait voir Élisabeth de moins en moins souvent. À 18 ans, la Dauphine se passionnait pour la mode et s'étourdissait de fêtes et de bals... Quant aux trois frères d'Élisabeth, ils étaient adultes,

---

5. Louis-Auguste était l'aîné de ses frères et sœurs. Premier dans l'ordre de succession, il portait le titre de Dauphin de France. Il régnera après Louis XV sous le nom de Louis XVI.

6. Ensemble des règles et des usages que l'on devait respecter à la Cour.

mariés et ne se souciaient guère de «Babet»,
comme ils la surnommaient affectueusement.

Sourcils froncés, elle observa l'automate. Si
seulement elle avait eu un tournevis pour dé-
monter le mécanisme et en comprendre enfin
le fonctionnement...

– Mes petits ciseaux de broderie feront l'affaire, décida-t-elle.

Elle partit chercher sa boîte à couture qu'elle vida sur le sol, jetant en vrac ouvrage au point de croix, fils et aiguilles. Puis, ciseaux en main, elle se laissa tomber à plat ventre sur le tapis, l'œil rivé à la musicienne miniature.

– Flûte !

Un bruit dans l'antichambre, quelqu'un venait ! Elle se leva d'un bond et alla coller son oreille à la porte.

– Mme de Marsan ! Flûte ! Flûte !

Puis elle avisa le désordre. Elle n'avait pas le droit d'utiliser le précieux automate lorsqu'elle était seule. À coup sûr, elle serait punie ! Elle devait le ranger, vite, avant qu'elle se fasse disputer ! Elle courut et...

– Flûte ! brailla-t-elle en s'effondrant.

Elle avait buté sur la boîte à couture et s'était affalée sur le luxueux cadeau de son grand-père ! Horreur ! La musicienne n'avait plus ni bras ni tête, elle était cassée ! Et les pas se rapprochaient... Élisabeth se dépêcha d'attraper les morceaux pour les fourrer dans la boîte à couture.

La porte s'ouvrait ! Elle se leva en hâte, le cœur battant.

– Que manigancez-vous ? demanda la gouvernante en flairant, tel un chien de chasse, une nouvelle bêtise.

– Rien, je brodais.

– Sur le tapis ?

– Et pourquoi pas ? répliqua Élisabeth en haussant le ton.

– Je vous avais donné des devoirs. Les avez-vous faits ?

– Non.

– J'en étais sûre ! Combien de fois devrai-je vous le répéter ? s'écria Mme de Marsan. De nos jours, les princesses doivent être instruites, afin d'aider leur époux à diriger leur royaume ! Vous devez apprendre vos leçons !

Élisabeth se redressa de toute sa taille pour lui faire face. Elle aurait pu être ravissante avec ses yeux bleus en amande, son visage rond et ses beaux cheveux châtain clair, mais elle affichait une grimace de colère qui l'enlaidissait.

– Et moi, rétorqua-t-elle, je vous ai déjà dit que je ne le ferai pas ! Plus tard, j'aurai à mon service autant de valets que je voudrais pour répondre à ma place à vos questions stupides !

– Oh ! Ma patience est à bout ! cria Mme de Marsan. Autant vous l'apprendre tout de suite, j'ai recruté une sous-gouvernante qui va s'occuper de vous enseigner les bonnes manières, toute princesse de France que vous soyez.

Élisabeth se sentit rougir. Une sous-gouvernante ? Voilà qui ne présageait rien de bon...

– Dorénavant, reprit la femme, je veillerai uniquement sur votre sœur, et Mme de Mackau aura le plaisir de vous supporter.

– Et si je refuse ?

Mme de Marsan fit mine de ne pas entendre. Elle poursuivit :

– Il s'agit d'une veuve qui ne s'en laissera pas conter. Maintenant, Madame, c'est l'heure de votre leçon d'équitation.

Elle frappa dans ses mains et deux domestiques entrèrent.

– Veuillez changer Madame Élisabeth, ordonna-t-elle. Qu'on la mène ensuite au manège de la Grande Écurie...

– Je préfère me promener au bois, la coupa la princesse.

– Et moi, je pense que vous ne le méritez pas. Profitez bien de cette sortie car, à l'avenir, Mme de Mackau se montrera moins aimable que moi.

La gouvernante à peine partie, les servantes, sans un mot, enfilèrent à Élisabeth un costume d'amazone[7] de velours bleu et la coiffèrent d'un ravissant chapeau.

Élisabeth soupira. Ainsi, Mme de Marsan avait trouvé une gouvernante encore plus sévère qu'elle pour la surveiller ? Dire que cette femme sans cœur était payée pour remplacer ses parents !

Une calèche la conduisit peu après aux écuries.

– Allez-vous bien, Madame ? lui demanda un adolescent brun en lui amenant sa monture.

Théophile, que l'on appelait « Théo », avait 12 ans. Il appartenait à l'école des pages[8] depuis un an et s'occupait de Framboise, le cheval d'Élisabeth.

– Fort bien ! J'attendais cette leçon avec impatience !

---

7. Tenue d'équitation que portaient les femmes, composée d'une jupe longue et large et d'une veste très ajustée.

8. Une cinquantaine de garçons de la noblesse recevaient une éducation à la Grande Écurie, à l'école des pages, où ils étaient pensionnaires. Ils servaient également le roi et les membres de la famille royale.

M. de Beaupré, le maître d'équitation, aida la jeune fille à se mettre en selle. Elle passa son genou sur le pommeau et se cala avec grâce. Si elle n'aimait pas étudier, Élisabeth adorait l'équitation. Bien sûr, elle devait monter en amazone, les deux jambes du même côté de la monture, et non à califourchon comme les garçons, mais elle n'aurait manqué ce cours pour rien au monde.

– Que m'apprendrez-vous aujourd'hui ? demanda-t-elle à M. de Beaupré avec un sourire ravi.

– Rien, soupira-t-il, embarrassé. Votre gouvernante veut que nous tournions dans le manège, et que nous marchions au pas.

– Au pas ? Mais... je suis bonne cavalière, je sais galoper ! C'est pour me punir, n'est-ce pas ?

Le cœur gros, elle commença à longer le bord de la piste ronde. Elle se traînait au rythme d'un escargot et la colère montait en elle...

– En voilà assez ! s'écria-t-elle tout à coup. Je ne supporterai pas davantage cette humiliation !

Et, sans plus attendre, elle arracha les rênes des mains du maître et frappa son cheval du talon. La bête se lança à vive allure. La porte des écuries était grande ouverte, Élisabeth la franchit et se dirigea vers les bois tout proches...

Chapitre 3

Les larmes coulaient sur son visage tandis que derrière elle le professeur et Théophile hurlaient des « Madame ! Madame ! » épouvantés !

Bientôt elle entra dans les bois qui entouraient le château de Versailles. « Que ma gouvernante est méchante ! » songeait Élisabeth tout en galopant. Déjà, dans son dos, des gardes se lançaient à sa poursuite. Elle tourna dans un étroit sentier pour les semer. Son joli couvre-chef s'accrocha à une branche et vola en l'air. Tant pis !

– Eh bien, s'écria-t-elle, la nouvelle gouvernante, cette Mackau, n'aura qu'à me punir,
elle aussi ! Combien de centaines de lignes
devrai-je écrire pour une fugue et un chapeau
perdu ? Ah ça ! Je me vengerai ! Je lui mène-
rai une vie si épouvantable qu'elle retournera
bien vite d'où elle vient !

Elle se pencha
sur l'encolure
de son cheval
et augmenta l'allure.

– Elle peut toujours
essayer de me dresser,
elle n'y réussira pas !

Élisabeth, au grand galop, déboucha dans une clairière. Ciel ! Un gros chêne déraciné était couché au beau milieu !

– Oh non ! hurla-t-elle en tirant sur les rênes.

La bête freina si brutalement qu'Élisabeth passa par-dessus l'encolure et atterrit dans l'herbe.

Elle s'assit en pestant et se massa le postérieur. Par chance, personne n'avait été témoin de sa chute. Son orgueil était sauf !

Mais si, quelqu'un se trouvait là... Une fille de son âge accourait, un bouquet de fleurs des champs à la main.

– Oh ma pauvre ! cria-t-elle. Tu t'es fait mal ?

Élisabeth lui lança un regard furieux. Comment ? Cette inconnue osait la tutoyer ? Elle, une princesse royale ? Jamais personne, de sa vie, ne l'avait tutoyée, pas même ses parents.

Elle s'apprêtait à la rabrouer pour cet outrage, mais la fille reprit d'un ton inquiet.

– J'espère que tu n'as rien de cassé.

Et elle l'aida à se relever. Elle tapota ensuite son amazone bleue pour en ôter les feuilles mortes et les brindilles qui la salissaient, et elle la conduisit jusqu'au tronc d'arbre où elle la fit asseoir.

Élisabeth n'en crut pas ses yeux ! Cette effrontée l'avait touchée ! Hormis les domestiques qui la servaient, sa famille et les princes, personne n'avait le droit de la toucher !

– Tu ne réponds pas ? se méprit l'inconnue. Ça ne va pas ?

Elle possédait de beaux cheveux blonds bouclés et de magnifiques prunelles vertes, et elle était vêtue d'une modeste robe fleurie.

C'était la première fois qu'Élisabeth parlait librement à quelqu'un… Enfin, elle ne lui avait encore rien dit !

« Comment discute-t-on avec des inconnus ? » se demanda-t-elle.

– Je vais très bien, lui lança-t-elle d'une voix ferme. Vous... Tu... Merci de m'avoir aidée. Quel est v... ton nom ?

– Angélique. Et toi ?

Élisabeth la regarda, bouche bée. Devait-elle se faire connaître ? Angélique deviendrait sûrement moins gentille si elle apprenait qu'elle avait affaire à une princesse. Elle s'éloignerait de trois pas, plongerait dans une révérence et s'adresserait à elle avec le respect dû à son rang. C'était finalement bien agréable de se retrouver d'égale à égale avec quelqu'un de son âge. « Non, décida-t-elle, elle demeurerait incognito ! »

– Je m'appelle Babet, dit-elle en utilisant le surnom que lui donnaient ses frères.

– Eh bien, Babet, quelle belle chute ! Tu habites au château ?

– Oui.

– Tes parents servent le roi ?

Élisabeth n'aimait pas lui mentir, mais quel plaisir d'avoir une amie, même pour quelques minutes...

– Oui, ma famille sert le royaume.

Bah ! Ce n'était pas vraiment un mensonge ! Alors, elle sourit, rassurée.

– Et toi ? demanda-t-elle en retour.

– Je viens d'arriver à Versailles. Je serai bientôt pensionnaire à Saint-Cyr.

– Oh... Tu n'as pas de chance... Je déteste les études !

Angélique se mit à rire.

– Moi, j'adore ça. Grâce à Sa Majesté le roi, je deviendrai peut-être un jour gouvernante, comme ma mère. Elle va s'occuper de Madame Élisabeth.

Élisabeth blêmit. Angélique était donc la fille de la terrible Mme de Mackau, cette femme engagée pour la dresser ? Par chance, sa nouvelle amie n'avait pas remarqué son trouble. D'ailleurs, elle s'assit sans façons sur le tronc d'arbre à côté d'elle et poursuivit avec entrain :

– Il paraît que c'est une vraie peste. À la Cour, on craint qu'elle ne trouve pas à se marier tant elle est mal élevée. Je plains maman.

– Vraiment ? souffla Élisabeth.

Elle se sentait si humiliée !

– On raconte, continua Angélique, qu'elle sait à peine lire et écrire. Moi, à sa place, je mourrais de honte ! Elle est entourée des meilleurs professeurs et n'en profite même pas !

– Vraiment ? répéta Élisabeth, vexée. Mais... elle a peut-être des excuses... Ses parents sont décédés...

– Moi aussi, Babet, j'ai perdu mon père. Ça ne m'empêche pas d'être bonne élève. Ma mère dit toujours qu'une fille doit apprendre autant qu'elle le peut, afin de ne pas dépendre des hommes. Mais les études coûtent si cher ! J'ai de la chance, tant que maman supportera la petite peste, je pourrai m'instruire à Saint-Cyr et, plus tard, j'aurai une dot pour me marier.

Élisabeth sentit sa gorge se serrer. Dire qu'elle projetait de se débarrasser de la future gouvernante ! La chose était facile : il lui suffisait de se montrer plus odieuse que d'habitude. Mais, si elle y parvenait, Angélique n'aurait plus ni éducation, ni dot.

– Il faut que je t'avoue... commença-t-elle avec gêne. Je suis...

Un galop résonnait au loin. Les gardes avaient retrouvé sa trace ! Elle se leva d'un bond pour attraper Framboise qui broutait non loin d'elles. Puis elle poursuivit d'une voix inquiète :

– Je dois te quitter. Flûte ! Comment vais-je remonter sur mon cheval ?

Angélique lui ôta les rênes des mains pour conduire l'animal jusqu'au chêne couché. Élisabeth comprit aussitôt. Elle grimpa sur le tronc et s'installa avec facilité sur la selle. Le temps de caler son genou sur le pommeau, et elle lança à son amie :

– Je suis bien heureuse de t'avoir rencontrée.

Après un dernier salut de la main, la princesse reprit le sentier au galop.

Chapitre 4

Pour une punition, ce fut une belle punition ! Trois cents lignes stupides : *« Je ne ferai pas du cheval seule dans les bois et j'obéirai à Mme de Marsan. »* De quoi avoir la nausée !

Pour bien montrer combien elle s'en moquait, Élisabeth en aligna quatre cents. Elle gâcha trois plumes d'oie et fit avec la quatrième, pour s'amuser, nombre de pâtés et d'éclaboussures d'encre. Elle s'en mit également sur les doigts et même sur sa robe rose.

La gouvernante en fut si ulcérée qu'elle menaça de lui donner le fouet, ce qui arracha un sourire moqueur à la jeune fille :

– Jamais Grand-papa Roi ne le tolérera, lui jeta-t-elle à la figure. Essayez donc, pour voir !

– Oh ! Insolente ! Vous êtes consignée[9] dans votre chambre jusqu'à demain ! Je vais retrouver votre sœur.

Mme de Marsan, furieuse, sortit en claquant la porte, ce qui rendit Élisabeth doublement contente.

Cependant, sa joie ne dura guère. Elle s'assit toute seule près de la fenêtre. Le visage dans les mains, elle se perdit en pensée dans les jardins de Versailles. Ses appartements se trouvaient au rez-de-chaussée et s'ouvraient sur une jolie terrasse ensoleillée. Comme certains promeneurs n'hésitaient pas à coller leur nez aux carreaux, on y avait placé tout autour une barrière de fer pour éloigner les curieux.

---

9. Avoir l'interdiction de sortir.

Élisabeth soupira. Elle aurait tant aimé courir dans les bois avec Angélique ! Elle était si gentille !

Les adultes ne comprenaient-ils pas combien elle se sentait malheureuse ? À peine levée, elle recevait les hommages de nombreux courtisans[10]. Puis on la menait à la messe, à la chapelle du château, où elle retrouvait sa famille... Hélas pour peu de temps ! Ensuite, les professeurs arrivaient, distants, jamais satisfaits de ses résultats. Elle entendait sans relâche : « Vos frères n'auraient jamais commis cette sottise ! » Ou encore : « Votre sœur Clotilde n'est guère jolie, mais elle vous surpasse pour tout le reste ! »

Après avoir supporté leurs remarques désagréables, elle mangeait en silence, seule ou avec Clotilde, les femmes de service les entourant, debout. Mme de Marsan, l'œil aux aguets, épiait ses moindres gestes pour lui rappeler les règles de la bienséance. L'après-midi était occupé à d'autres cours : broderie, dessin ou musique. Lorsqu'il faisait beau, elle

---

10. Hommes et femmes de la noblesse qui résidaient à la Cour, et qui servaient la famille royale.

se promenait dans les jardins, à pied ou à cheval dans les bois.

Élisabeth étouffa un sanglot. On ne cessait de lui répéter qu'elle était un être à part. Petite-fille de roi, elle épouserait un jour un prince étranger et deviendrait elle-même reine.

– Heu... grimaça-t-elle tout bas, d'après ce que m'a raconté Angélique, je risque de ne pas me marier... à cause de mon sale caractère et de ma... bêtise.

Puis elle s'offusqua :

– Je ne suis pas bête ! Indisciplinée, coléreuse, oui, mais pas bête !

Elle se leva et courut prendre un livre. Elle en déchiffra une page à grand-peine et jeta aussitôt l'ouvrage, vexée de ne pas mieux lire.

– Pfff... Angélique a raison, soupira-t-elle, je dois être stupide.

La porte s'ouvrit, ce qui la fit sursauter. Mme de Marsan se tenait raide, les mains jointes.

– Mme de Mackau désire vous être présen-
tée, annonça-t-elle. Je suis sûre qu'elle sera
ravie de faire votre connaissance, avec… votre
robe et vos doigts couverts de taches d'encre…

Élisabeth baissa le nez pour observer les
dégâts. Fichtre ! Elle aurait dû demander à ce
qu'on la change. Qu'allait penser la nouvelle
gouvernante ?

« Qu'elle pense ce qu'elle veut, je m'en
moque ! » se reprit-elle en bombant le torse.
Et elle se dirigea vers la porte d'un pas décidé.
Mais, dans l'antichambre, Mme de Mackau
n'était pas seule… Sa fille l'accompagnait.

Chapitre 5

Élisabeth s'avança, tête haute. Son cœur battait à tout rompre. Les yeux verts de son amie s'écarquillèrent de surprise, puis elle devint rouge de honte, tandis qu'Élisabeth blêmissait en se mordant les lèvres.

Comme le voulait l'étiquette, les deux visiteuses ployèrent dans une révérence à laquelle la princesse répondit par une courbette. La pauvre ne savait plus quelle attitude adopter ! Angélique devait la haïr d'avoir été trompée !

Mais Mme de Mackau s'approchait. Élisabeth l'observa, indécise. Elle devait avoir 40 ans.

Ses cheveux blonds relevés en chignon étaient couverts d'une coiffe de dentelle. Elle ne semblait pas si terrible, cette femme chargée de la discipliner. «Non, se reprit-elle, il ne faut pas s'y fier, elle cache sûrement son jeu.»

– Je suis très heureuse de vous rencontrer, Madame, déclara Mme de Mackau d'une voix agréable. Je pense que nous allons bien nous entendre.

Élisabeth ne répondit pas mais, par chance, la nouvelle gouvernante ne s'en offensa pas. Elle poursuivit :

– Puis-je vous présenter ma fille ?

Du coin de l'œil, Élisabeth observait Angélique dont la bouche esquissait une moue de déception.

– J'espère, mademoiselle, lui dit Élisabeth d'un ton hésitant, que vous vous plairez à Versailles.

– Je vous remercie, Madame, répliqua froidement Angélique.

– Dieu, quel sérieux ! plaisanta Mme de Mackau. Et si vous sortiez vous amuser, toutes les deux ?

Élisabeth la regarda avec surprise. S'amuser ? Avait-elle bien entendu ?

– Eh bien, zou ! ajouta Mme de Mackau en riant. Vous serez mieux dehors ! Mme de Marsan et moi avons à parler.

Élisabeth se tourna vers Angélique :

– Venez-vous, mademoiselle ?

Les deux filles s'éloignèrent à pas lents. À peine sur la terrasse, Angélique murmura avec amertume :

– Vous vous êtes bien moquée de moi, dans les bois !

– Je ne pouvais te dévoiler mon identité. Tu... serais devenue comme à présent, froide et distante.

Comme Angélique semblait bouder, Élisabeth expliqua :

– Tu avais raison, je suis insolente, très bête et je n'aime guère travailler. En plus, je collectionne les punitions. Mais je m'ennuie tellement ! Et je suis toujours seule ! Tu... tu m'as traitée en amie et je ne voulais pas que cela s'arrête. Tu sais, je n'ai jamais eu d'amie.

Angélique, enfin, lui sourit.

– Je vous pardonne, Madame.

– Ah non ! Ne peux-tu m'appeler Babet et me tutoyer ? Je préférerais !

– D'accord, Babet, mais seulement lorsque nous serons entre nous. Ma mère me disputerait si je te parlais avec familiarité.

– Entendu, ce sera notre secret.

Élisabeth fit visiter à Angélique la terrasse décorée de jardinières fleuries et d'orangers plantés dans de grands bacs, après quoi on leur servit dans ses appartements un goûter merveilleux composé de gâteaux et de limonade. Tout en mangeant, la princesse raconta sa vie si triste.

– Je n'ai pas le droit de sortir seule de mes appartements. Les fêtes, les bals, le théâtre, les concerts, je ne peux pas y participer ! Les

repas de famille, pareil ! Mme de Marsan me déteste, et je le lui rends bien. Toute petite, j'ai même refusé d'apprendre à lire et à écrire avec elle. C'est Clotilde qui me l'a enseigné à sa place. J'avais 8 ans. Ma sœur possède une patience d'ange !

– Mme de Marsan ne veut pourtant que ton bien. Je l'ai entendue dire à ma mère qu'elle souhaitait te donner un enseignement digne d'un garçon. Elle désire que, avec ta sœur, vous deveniez les princesses les plus instruites d'Europe. C'est plutôt flatteur, non ?

Élisabeth haussa les épaules. D'ordinaire, les princesses de France n'apprenaient qu'à lire et à écrire, ainsi que la vie des saints et un peu d'histoire et de géographie. Elle se serait bien contentée d'en rester là !

– En ce qui me concerne, c'est raté ! Pfff !!! Jamais je n'arriverai à comprendre le latin, les mathématiques et les belles-lettres... Tout à l'heure, j'ai ouvert un livre et je n'ai pas été capable d'en comprendre plus d'une page.

Heureusement, Angélique ne se moqua pas d'elle. Au contraire, elle proposa :

– Veux-tu que nous le lisions ensemble ?

– Vrai ? J'accepte ! Sinon, je suis douée pour le dessin, la broderie et la mu... musique... Flûte ! ajouta-t-elle avec une grimace affolée. J'avais oublié !

Elle courut chercher sa boîte à couture qu'elle déballa en hâte. Elle étala les morceaux de l'automate et se lamenta :

– Ooohh ! Grand-papa Roi va me tuer ! Je l'ai cassé par accident. Tu crois qu'on pourrait le réparer ?

Angélique observa les dégâts :

– Il nous faudrait de la colle et des outils. Attends, j'ai une idée...

Je loge avec ma mère au Grand Commun[11]. Notre voisin est l'horloger qui remonte toutes les pendules de Sa Majesté. Il m'aime bien. Si tu veux, je le lui apporterai et il le remettra en état.

Élisabeth soupira de soulagement avant de s'angoisser de nouveau :

– Mais, ta mère te laissera-t-elle revenir au château ?

– Ah çà ! Il faudra que tu le lui demandes... avec gentillesse.

– Je le ferai, promis !

Puis elle tourna la clé de l'automate. La minuscule musicienne se mit à bouger, tandis qu'une jolie mélodie s'élevait. C'était plutôt drôle de la voir se trémousser dans sa robe de satin rose, sans bras ni tête ! Hélas, un « couac ! » sinistre retentit et la musique s'arrêta brusquement.

– Montre ! dit Angélique.

---

11. Grand bâtiment proche du château de Versailles qui abritait les cuisines. On y trouvait aussi, dans les étages, des chambres pour les courtisans et le personnel.

Elle essaya d'ouvrir le petit clavecin.

– Regarde, Babet, quelque chose bloque le mécanisme.

Élisabeth se pencha sur la boîte. Oui ! Un papier était caché dans l'instrument. Elle glissa délicatement deux doigts tachés d'encre à l'intérieur, pour attraper le mot. Aussitôt, la musique reprit, comme par magie.

– Voilà qui est curieux ! s'étonna-t-elle en dépliant le papier.

Une écriture fine et pâle s'étalait, illisible...

– C'est peut-être une déclaration d'amour, rêva Angélique.

– Ou un complot...

– Ou encore une carte au trésor...

– Il faudrait une loupe pour le lire...

Les voix des deux gouvernantes se firent entendre. Élisabeth se dépêcha de ranger les morceaux de l'automate dans la boîte à couture, puis elle cacha la lettre secrète dans son décolleté.

– Plus un mot !

Mme de Mackau s'approcha pour prendre congé :

– À demain matin, Madame. Nous commencerons par un peu d'étude, pour juger de votre niveau. L'après-midi, nous nous promènerons.

– Bien, madame, acquiesça Élisabeth. Puis-je vous demander une faveur ? tenta-t-elle ensuite d'un air embarrassé.

– Je vous en prie. Si je peux...

– J'aimerais prêter mon nécessaire de broderie à Angélique. Enfin, si vous êtes d'accord.

– Voilà qui est gentil de votre part, mais ma fille en possède un.

– S'il vous plaît, maman, insista Angélique. Madame Élisabeth me propose... des fils de si jolies couleurs.

La nouvelle gouvernante haussa les épaules avant d'accepter :

– Eh bien, soit ! Mais tu la restitueras au plus tôt.

– Bien sûr, maman !

Ravies, les deux filles se lancèrent un regard complice. Angélique prit la boîte sous son bras, puis elle demanda à son amie avec le plus grand sérieux :

– Me permettez-vous de vous rendre visite demain afin de vous la rapporter ?

– Ce sera avec plaisir, mademoiselle, répondit Élisabeth avec le même sérieux. Peut-être pourriez-vous venir vous promener avec moi… ? Euuh… si madame votre mère l'autorise…

Elle l'autorisa ! Élisabeth, d'habitude si spontanée, eut le plus grand mal à ne pas sauter de joie !

Chapitre 6

Angélique et sa mère à peine parties, Élisabeth se précipita dans les appartements tout proches de sa sœur aînée. Clotilde possédait peut-être une loupe... Mais, à son grand étonnement, elle ne trouva la jeune fille ni dans sa chambre, ni dans le salon où elle aimait lire et broder. Elle la découvrit dans sa garde-robe en train de pleurer à chaudes larmes.

– Ma sœur ! s'alarma-t-elle. Qui vous a causé du chagrin ?

Clotilde était la personne la plus gentille du monde, mais elle souffrait d'embonpoint.

Les courtisans se moquaient d'elle en la surnommant « Gros Madame[12] ».

Clotilde esquissa un pauvre sourire.

---

12. « Grosse Madame ».

– Personne, ma Babet. Je m'inquiète car notre grand-père, le roi, me marie au prince de Piémont-Sardaigne[13]. Je ne sais rien de mon fiancé. Je l'ai vu sur un petit portrait, il est plus âgé que moi, et il a l'air... si... sérieux... Et... Et quand je quitterai Versailles pour partir vivre dans son pays, ce sera pour toujours ! Plus jamais je ne pourrai revoir ma famille et surtout vous, ma Babet...

Élisabeth la serra dans ses bras. Contrairement à ce que tout le monde pensait, ce n'était pas drôle d'être une princesse.

Clotilde hoqueta :

– Pourquoi avez-vous quitté votre chambre, ma Babet ? Mme de Marsan m'a appris que vous y étiez consignée.

Élisabeth haussa les épaules avec désinvolture.

– Avez-vous une loupe à me prêter ?

– Ma foi, non. Que voulez-vous en faire ?

---

13. Ce pays se composait du nord de l'Italie, de la Savoie et de la Sardaigne.

– Euuh... lire un document écrit tout petit.

Clotilde se mit à sourire.

– Vous, Babet, lire? se moqua-t-elle gentiment. Voilà qui est nouveau! Demandez à notre frère Louis-Auguste. Il se passionne pour l'horlogerie et doit en posséder une.

– Oui... mais comment me rendre dans ses appartements? Je ne dois pas sortir.

– Madame Clotilde! appela la voix impatiente de Mme de Marsan.

Clotilde essuya ses larmes et se dépêcha de regagner sa chambre, sa jeune sœur sur les talons.

La gouvernante serra les lèvres en apercevant Élisabeth. Sa bouche se tordit carrément de mécontentement lorsqu'elle vit les yeux rouges de Clotilde. Selon elle, une princesse devait toujours se contrôler et montrer bonne figure.

Un homme l'accompagnait. Elle le présenta:

– Madame Clotilde, voici le *signor*[14] Goldoni, qui va vous donner des leçons d'italien, la

---

14. «Monsieur» en italien.

langue de votre futur pays. Le *signor* Goldoni est un auteur très connu en Italie, tout autant que l'était Molière en France. Vous avez beaucoup de chance d'avoir un tel maître.

Le professeur leur adressa un profond salut, que les deux princesses lui rendirent par une courbette.

– Quant à vous, Madame Élisabeth, reprit-elle, que faites-vous ici ? Vous êtes punie ! Retournez vite dans votre chambre !

Pour une fois, Babet se dépêcha d'obéir.

De retour dans ses appartements, elle réfléchit. Comment sortir sans se faire remarquer ? À cette heure, Louis-Auguste, le plus âgé de ses trois frères, devait se trouver dans sa bibliothèque.

Il avait 19 ans et était le futur héritier de leur grand-père, Louis XV. Un jour, il monterait sur le trône avec sa jeune épouse, Marie-Antoinette, et prendrait le nom de Louis XVI.

Élisabeth était sûre qu'il deviendrait un bon roi. Il était un peu timide, mais si instruit, si juste et si intelligent ! Il se passionnait pour les mathématiques et la géographie. Il aimait lire aussi, et faisait, pour passer le temps, des travaux d'horlogerie et de serrurerie.

– Oui, mais comment aller jusqu'à sa bibliothèque ?

À peine sortie sur le palier, elle se ferait prendre par les gardes.

– Et si j'empruntais les passages des domestiques ?

Les serviteurs utilisaient de petits couloirs et de minuscules escaliers pour servir leurs maîtres sans se faire remarquer... Mais, s'ils l'apercevaient, ils la dénonceraient sûrement. Ils craignaient tant Mme de Marsan !

– Les jardins ! Bien sûr !

Elle attrapa un châle dont elle se couvrit les épaules et sortit par la porte-fenêtre qui s'ouvrait sur la terrasse. Elle se faufila entre deux orangers et se dépêcha de passer par-dessus la barrière de fer.

Sa robe longue et ses jupons la gênaient, mais elle y parvint sans que personne la remarque. Une bouffée de fierté l'envahit : elle s'était évadée !

– Vite !

Elle courut dans les jardins, jusqu'à la grande porte du château qui s'ouvrait sur un majestueux escalier de marbre. De nombreux courtisans s'y trouvaient. Elle baissa la tête et fonça. Heureusement, aucun d'eux ne fit attention à elle.

Des promeneurs flânaient dans les couloirs, admirant les plafonds peints, les lustres de cristal, les boiseries dorées et les meubles de prix. À Versailles, tout le monde pouvait le faire, à condition d'être correctement habillé et de ne pas importuner les courtisans ou la famille royale.

Alors qu'elle quittait les Grands Appartements, elle faillit heurter deux hommes qui discutaient.

– Notre vieux roi semblait très fatigué ces derniers jours, disait l'un.

– En fait, répondit l'autre, il est alité depuis ce matin. Il paraît que c'est grave...

Inquiète, Élisabeth se figea pour les écouter. Son grand-père était malade ? Personne ne l'avait prévenue !

– Eh bien, petite, s'indigna le premier, tu nous espionnes ? Déguerpis !

Elle fila aussitôt. Par chance, elle sortait si peu souvent de ses appartements que les deux courtisans ne l'avaient pas reconnue !

Après des tours et des détours, elle finit par découvrir la porte de la bibliothèque de Louis-Auguste... Elle entra.

– Babet ? s'étonna son frère en levant les yeux d'une grande carte de géographie.

Il ôta ses lunettes et l'accueillit avec un grand sourire.

Louis-Auguste était un jeune homme de très haute taille, au doux sourire. Il l'embrassa sur la joue tandis qu'elle demandait :

– Grand-papa Roi est malade ?

– Oui, soupira-t-il, hier, il a été pris d'un malaise en rentrant de la chasse. On ne vous a pas prévenue, afin de ne pas vous inquiéter. Les meilleurs médecins le soignent.

Élisabeth en fut soulagée !

– Vous êtes seule ? s'étonna Louis-Auguste. Et Mme de Marsan ?

– Je lui ai faussé compagnie. Je souhaitais... vous demander un service.

– Vous avez encore été punie et vous voulez que j'intervienne pour vous ?

– Oui... Non... hésita Élisabeth. Je suis punie, c'est vrai, mais j'occupais ma punition avec de la lecture.

– Oh ? Babet qui lit ? plaisanta-t-il.

Élisabeth fronça le nez, mécontente. Voilà que, après Clotilde, Louis-Auguste se moquait aussi de son goût si soudain pour les études ! Elle répondit en levant le menton :

– Bientôt, je serai aussi instruite que vous. Sachez que j'ai une... nouvelle gouvernante et aussi une amie... qui va m'aider à devenir moins sotte.

Louis-Auguste s'excusa aussitôt :

– Vous êtes loin d'être sotte, ma Babet. Bien au contraire ! Vous êtes curieuse de tout... Seulement vous n'aimez pas Mme de Marsan et vous détestez obéir.

Élisabeth acquiesça, ravie.

– J'ai besoin d'une loupe. Jurez que vous m'en prêterez une sans le dire à quiconque !

– Je le jure ! lança-t-il le plus sérieusement du monde.

Et il sortit une petite loupe ronde d'un tiroir de son bureau, qu'il lui tendit.

– Je vous en fais cadeau, ajouta-t-il. Et maintenant filez vite avant que l'on se rende compte de votre absence !

Elle courut à perdre haleine pour regagner les jardins. Elle sauta la barrière en déchirant un peu son jupon, puis poussa la porte-fenêtre de son salon.

Mme de Marsan l'attendait, rouge de colère.

– Où étiez-vous passée ?

– Mais... dehors, sur la terrasse, mentit à demi Élisabeth.

Par chance, on n'avait pas eu l'idée de l'y chercher. La gouvernante reprit alors, sur un ton plus aimable :

– Demain, vous suivrez le cours d'italien avec votre sœur. Il serait bon que vous connaissiez cette langue.

D'ordinaire, la princesse aurait crié qu'elle refusait, et elle se serait rebellée. Mais aujourd'hui elle préféra se taire, car c'était le plus sûr moyen de se débarrasser de Mme de Marsan. Dès que la gouvernante fut partie, Élisabeth tira le papier de son décolleté pour l'examiner avec la loupe.

– Ah ça ! Les mots se touchent, l'encre est presque effacée...

Elle décrypta avec difficulté :

– « La-flam-me-li-vre-ra-le-se-cret... » Secret ? répéta-t-elle tout excitée. Voilà qui est passionnant ! Mais, qu'est-ce que ça veut dire ? Si j'avais été plus instruite, marmonna-t-elle, je l'aurais sûrement découvert...

Elle soupira de déception, puis sourit. Demain, Angélique viendrait la voir. Elle l'aiderait à résoudre ce mystère.

Elle mangea le soir en compagnie de Clotilde. Sa pauvre sœur avait encore les yeux rougis d'avoir pleuré. Mme de Marsan la disputa :

– De la tenue, que diable ! Une future reine ne doit pas montrer ses sentiments.

La pauvre Clotilde baissa le nez. Élisabeth prit aussitôt sa défense :

– Ne comprenez-vous pas que ma sœur est triste de quitter la France pour épouser un inconnu ?

La gouvernante serra les lèvres :

– C'est le rôle des princesses que de se sacrifier ! Grâce à ce mariage, la France et le Piémont-Sardaigne vivront en paix et seront alliés pour longtemps.

Cela, Élisabeth le savait. Et elle se jura que, plus tard, quand son tour viendrait de trouver un époux, elle ne se laisserait pas faire.

Tandis qu'on servait les plats, tous plus savoureux les uns que les autres, Élisabeth repensa à sa découverte. Que voulait dire la phrase du mot secret ?

Chapitre 7

Le lendemain, Élisabeth se leva de bonne humeur : Angélique viendrait la voir cet après-midi !

Les femmes de chambre l'habillèrent d'une belle robe blanche et coiffèrent ses cheveux châtains en chignon d'où s'échappaient de longues boucles en rouleaux.

Mme de Mackau arriva à 9 heures, après la messe. Le cours d'italien se déroula merveilleusement bien. Le *signor* Goldoni était un homme très drôle qui ne tenait pas en place. Il enseigna aux deux sœurs de nombreux mots de sa langue tout en s'amusant. Pour qu'elles les devinent, il mimait des scènes qui faisaient rire Élisabeth aux éclats ! Cependant, la gaieté de la princesse cessa peu après, lorsque Mme de Mackau la prit à part pour tester ses connaissances.

– Vous lisez fort mal, Madame, s'étonna-t-elle. Et vous ne savez pas calculer... Même une simple addition vous demande un temps fou !

Élisabeth fit la grimace, elle avait bien envie de répliquer et se retint à grand-peine : Angélique devait lui rendre visite. Si elle était punie, elle ne la verrait pas. Elle serra les dents et reconnut de mauvaise grâce :

– J'ai des progrès à faire, c'est vrai.

– Des progrès ? Madame, la reprit la gouvernante d'un air réprobateur, vous avez tout à apprendre !

Malgré ses bonnes résolutions, Élisabeth se leva d'un bond, vexée :

– Je ne supporterai pas plus longtemps vos remontrances ! Je suis une Fille de France, à qui vous devez le respect !

Mme de Mackau l'observa en souriant, tandis qu'Élisabeth se mordait les lèvres. Aïe ! La punition allait tomber... Mais non, la gouvernante se contenta de déclarer :

– Prenez un châle, nous sortons.

Elles partirent toutes les deux, sans la moindre escorte[15]. Après avoir traversé la cour du palais d'un bon pas, elles franchirent les grilles dorées gardées par des soldats en uniforme, et se dirigèrent vers Versailles. Élisabeth était née au château, mais c'était la première fois qu'elle parcourait la ville à pied.

– Où allons-nous ? s'inquiéta-t-elle.

– Prendre votre première leçon.

Élisabeth ouvrait des yeux ronds. Elle passait devant des boutiques, de belles maisons, et croisait des gens de toutes sortes –

---

15. Gardes ou serviteurs qui accompagnent une personne.

ouvriers, bourgeois ou artisans. Un vieil homme vêtu de guenilles lui tendit une main sale. Élisabeth s'écarta :

– Que veut-il ?

– De quoi vivre. Il est pauvre, malade et n'a rien à manger.

La gouvernante tira quelques sous de sa poche qu'elle remit au mendiant, tandis qu'Élisabeth, émue par sa détresse, murmurait :

– Je regrette de ne pas avoir d'argent à lui donner...

– Je lui en ai donné pour nous deux.

Puis Mme de Mackau ajouta à voix basse :

– C'est bien. Vous avez bon cœur, voilà une belle qualité.

– Il faudrait parler de ce monsieur à mon Grand-papa Roi, afin qu'il l'aide.

– Je crains que Sa Majesté ne puisse rien faire, soupira Mme de Mackau. Il existe des milliers de malheureux comme celui-ci.

Elle prit familièrement le bras d'Élisabeth et la mena vers la porte d'une église. Ce geste choqua un peu la princesse, mais elle était si curieuse de savoir ce que Mme de Mackau avait en tête qu'elle suivit sans faire d'histoires.

La gouvernante la conduisit dans la sacristie, la pièce où le curé gardait ses vêtements de cérémonie, mais aussi de gros livres. Il les confia à Mme de Mackau, qui se tourna vers son élève :

– Voici les registres de baptême. Quel jour êtes-vous née ?

– Le 3 mai 1764, pourquoi ?

Mme de Mackau en ouvrit un, parcourut les pages, poussa un « ah ! » satisfait et lui montra du doigt une ligne :

– Que lisez-vous ?

– Heu... mon nom. Élisabeth Philippine Marie Hélène de France...

– Bien. Et qui voyez-vous avant vous ?

– Le fils d'un simple jardinier...

– Et après vous ?

– La fille d'une pauvre servante...

Mme de Mackau referma le livre et lui lança d'un air grave :

– Vous, la princesse de France si orgueil-
leuse, vous êtes placée dans le registre de
Dieu entre un fils de jardinier et une fille de
servante. Vous êtes leur égale... à la seule dif-
férence que vous vivez dans un palais et que
vous êtes habillée de beaux vêtements.

Élisabeth baissa le nez, elle commençait
à comprendre. Mme de Mackau reprit avec
douceur :

– Ils ne savent sans doute ni lire ni écrire
mais ils doivent déjà travailler dur pour ga-
gner leur vie, alors que vous...

Élisabeth se sentit honteuse. Elle répondit
d'une petite voix :

– Alors que moi je suis une privilégiée qui
n'a aucun effort à faire ?

Mme de Mackau lui pressa les épaules :

– Vous êtes une jeune personne sensible et
intelligente. Je vous demande juste d'y réfléchir un peu. À présent, rentrons au château...

Chapitre 8

Angélique arriva, la boîte à couture dans les bras. Après des salutations très solennelles, les deux amies reçurent l'autorisation de sortir sur la terrasse.

À peine à l'extérieur, elles se regardèrent en souriant et déclarèrent en même temps :

– Tu ne sais pas ce que je...

Et elles éclatèrent de rire, ravies de se voir si complices.

– Allez ! supplia Élisabeth. Raconte vite !

Angélique regarda à droite et à gauche pour voir si on les observait.

– L'horloger, mon voisin, a réparé l'automate. Tu ne devineras jamais...

– Quoi ? s'impatienta Élisabeth en trépignant sur place.

– Ta boîte à musique a été créée par un grand artiste du nom de... Vaucanson, voilà plus de trente ans !

– Pfff... soupira Élisabeth. Cela n'a rien d'intéressant.

– Attends ! Il n'en a pas fabriqué une, mais trois, qui forment un orchestre. Il y a une joueuse de clavecin, un violoniste et une flûtiste.

– Oui, et après ?

– Après ? Eh bien, l'orchestre appartenait à un homme très riche qui est mort brutalement... peut-être assassiné.

– Oh !

Élisabeth s'assit sur le rebord d'une jardinière, stupéfaite. Elle sortit lentement le mot de son décolleté. Depuis la veille, elle avait réussi à le cacher sans que les domestiques le remarquent.

– Il y a vraiment du mystère dans l'air, murmura-t-elle. Rentrons, il nous faut la loupe de mon frère.

Elles se glissèrent en catimini jusqu'à la chambre. Un splendide lit à baldaquin aux rideaux blancs décorés de fleurs et d'oiseaux trônait au beau milieu. Le temps de prendre l'automate et la princesse conduisit Angélique dans un recoin pour être plus à l'aise... et à l'abri des oreilles indiscrètes.

– Voici ce que j'ai découvert. Lis cette phrase.

– « La flamme livrera le secret. »

– Qu'est-ce que cela veut dire, d'après toi ?

– Je l'ignore.

Élisabeth se laissa tomber sur le tapis. Elle était si déçue ! Elle qui espérait tant que son amie, si instruite, découvrirait la solution de l'énigme !

Angélique s'assit à côté d'elle. Puis, voyant la déception d'Élisabeth, elle réfléchit tout haut :

– Nous savons à présent qu'il existe bien un secret… Et le propriétaire de la musicienne est mort… Peut-être à cause de ce secret…

– Oui ! s'enthousiasma Élisabeth. Connais-tu le nom de cet homme ?

Angélique chercha dans sa mémoire. Elle enroula une de ses boucles blondes sur son doigt, ses yeux verts perdus dans sa réflexion, et se rappela :

– L'horloger m'a cité un Théophile de Villebois. En as-tu entendu parler ?

Élisabeth resta bouche bée :

– Je connais un Théophile de Villebois ! On le surnomme Théo ! C'est le page qui s'occupe de Framboise, mon cheval ! Mais... Chutttt !!! Voilà ta mère !

Élisabeth s'empressa de se lever.

– L'automate, vite ! Remettons-le à sa place.

Angélique le sortit de la boîte à couture. La musicienne était aussi belle qu'avant, avec sa robe rose et ses petites mains si délicates. L'horloger avait réalisé du bon travail. Élisabeth courut la poser sur sa commode en marqueterie et se retourna au moment même où la porte s'ouvrait.

Mme de Mackau entra. Élisabeth se figea. Le visage de la gouvernante semblait si grave !

– Madame, commença la mère d'Angélique, j'ai une mauvaise nouvelle à vous annoncer. Le roi est souffrant.

La princesse retint son souffle, son état avait donc empiré ?

– Mais, répondit-elle d'une voix inquiète, Grand-papa Roi n'est-il pas soigné par les meilleurs médecins ?

– Naturellement. Ils font d'ailleurs de leur mieux pour le guérir.

– Puis-je lui rendre visite ?

– Non, Madame, c'est impossible. Il souffre de la petite vérole, une maladie très contagieuse. Vous pourrez peut-être le voir dans quelques jours...

Puis Mme de Mackau frappa dans ses mains :

– À présent, allons marcher un peu. Rien de tel qu'une bonne promenade par un si beau temps !

Les deux filles se regardèrent. Élisabeth tenta aussitôt :

– Pourrions-nous monter à cheval ? Je suis sûre qu'Angélique adorerait cela. N'est-ce pas, Angélique ?

Son amie avait compris : Théo de Villebois se trouvait aux écuries. Elles pourraient le questionner et poursuivre leur enquête. Mais la gouvernante lui ôta tout espoir :

– C'est hors de question, Madame. Angélique ne peut prendre une leçon avec vous. Votre professeur n'est pas payé pour cela.

Voyant leur air déçu, elle proposa :

– En revanche, nous pouvons visiter les écuries ensemble, pour étudier les différentes races de chevaux. Voilà qui vous fera un excellent cours de sciences naturelles !

Élisabeth approuva avec exubérance.

Une fois encore, la gouvernante décida de s'y rendre à pied, en toute simplicité. Lorsqu'elles arrivèrent sur la place d'armes, la grande esplanade qui faisait face au château, Élisabeth lança :

– Allons à la Grande Écurie.

– La Grande ? s'étonna Mme de Mackau.

– Vous êtes nouvelle au château, c'est vrai ! Voyez-vous ces deux immenses bâtiments ? Ils abritent les écuries. Dans la « Petite », on loge les voitures et les chevaux d'attelage. Dans la « Grande », on garde les bêtes de selle, celles que l'on peut monter.

– Va pour la Grande Écurie !

Elles y entrèrent. La mère et la fille furent bien étonnées de l'activité qui y régnait ! Au centre se trouvait le manège, la piste ronde sablonneuse. De nombreux adolescents s'y entraînaient sous la direction d'écuyers[16].

16. Personne qui enseigne à monter à cheval, qui dresse les chevaux au manège.

Élisabeth rechercha aussitôt la chevelure brune de Théo. Son cœur se mit à battre plus fort lorsqu'elle le distingua, monté sur un beau cheval gris. Théo était bon cavalier. Il avait fière allure dans son uniforme, une veste bleue à galons rouge et blanc.

– Peut-on vous aider ? leur demanda un garde qui venait de reconnaître la princesse.

– Ma nouvelle gouvernante souhaite découvrir la Grande Écurie, répondit Élisabeth. M. de Villebois pourrait peut-être nous servir de guide ? Il s'occupe d'ordinaire de ma monture.

Angélique se retint de rire ! Son amie manœuvrait habilement !

– Vous avez de la chance, il termine sa leçon à l'instant. Je vous l'envoie.

Théo se présenta peu après. Il ôta son tricorne noir[17] et les salua bien bas.

– Je serais ravi de vous accompagner, leur dit-il. Suivez-moi, je vous prie.

---

17. Chapeau triangulaire, très à la mode à l'époque, dont les bords sont repliés en trois cornes.

Ils se dirigèrent vers les stalles où des chevaux de selle, tous plus beaux les uns que les autres, les attendaient.

Théo leur montra des anglo-arabes, des andalous, des lipizzans, et il leur expliqua d'un ton passionné les qualités et les défauts de chaque race.

Malheureusement, plus le temps passait et plus Élisabeth bouillait de ne pas pouvoir le questionner sur sa famille. Angélique, qui la voyait s'impatienter, rusa :

– Oh ! s'écria-t-elle. J'ai perdu mon bracelet ! Maman, je l'avais voilà encore cinq minutes. Pouvez-vous venir le chercher avec moi ?

La mère et la fille s'étaient à peine éloignées que la princesse se tourna vers le page pour lui glisser tout bas :

– Je désirais vous parler...

– À moi ?

– Oui... Connaissez-vous un Théophile de Villebois, mort voilà trente ans ? Il possédait de luxueuses boîtes à musique...

Théo sursauta en entendant le nom.

– Il s'agissait de mon grand-père ! J'ai hérité de son prénom. Il est décédé brutalement d'un accident de chasse. Son frère a profité du chagrin de ma grand-mère pour détourner leur fortune.

– Le lâche ! Alors, vous êtes ruiné ?

– Oui, hélas. Aujourd'hui, ma famille est pauvre. Mais j'ai la chance d'appartenir à l'école des pages. Un jour, si je sers bien le roi, j'obtiendrai un poste important à la Cour...

– Et les boîtes à musique ?

Théo ouvrit grands les yeux devant cette étrange question. Il répondit en haussant les épaules :

– Mon grand-père en possédait de fort belles, effectivement... Son frère les a toutes vendues.

– Sa Majesté m'en a offert une qui lui appartenait.

– Vraiment ? s'étonna Théo. Je serais curieux de la voir... Euh, se reprit-il, je ne voudrais pas vous sembler impoli.

Élisabeth se mit à rire.

– Je vous la montrerai avec plaisir. Pouvez-vous venir demain, à midi, jusqu'à la barrière de ma terrasse ? Je vous y guetterai et vous l'apporterai. Bien sûr, pas un mot à quiconque !

– Je vous le promets ! Mais, Madame, pourquoi toutes ces questions ?

– Parce que j'ai trouvé un papier dans l'automate et qu'il est très étrange.

Elle ne put se confier davantage car Mme de Mackau et Angélique revenaient.

– Je ne sais où j'ai la tête, s'excusa son amie. Je ne portais pas de bracelet aujourd'hui ! Je suis désolée d'avoir interrompu cette visite passionnante... Vous expliquiez donc, monsieur de Villebois, que ce beau cheval blanc était un lipizzan ?

– Oui, mademoiselle, reprit Théo avec sérieux. On les utilise en Autriche pour leurs excellentes qualités de dressage...

Chapitre 9

La visite des écuries terminée, Mme de Mackau reconduisit Élisabeth et Angélique au château où on leur servit une collation à se lécher les doigts.

Angélique la quitta vers 6 heures et Élisabeth se sentit bien seule dans sa chambre vide.

La gouvernante lui avait donné quelques exercices à faire.

– Des additions, des soustractions et de stupides multiplications ! enragea-t-elle. Bah ! Je n'ai aucune envie de me fatiguer la cervelle !

Son esprit vagabondait, à mille lieues de ses devoirs. Tant de pensées lui trottaient dans la tête ! Ainsi, Théo était ruiné... et son grand-père avait péri au cours d'un accident de chasse...

– Un accident de chasse, réfléchit-elle à voix haute, bras croisés, c'est bien commode pour se débarrasser de quelqu'un !

Elle ressortit le papier de son décolleté :

– « La flamme livrera le secret », lut-elle pour la centième fois. La flamme... De quelle flamme s'agit-il ? Peut-être existait-il dans la maison des Villebois une statue représentant une flamme ?

Elle était si absorbée dans ses réflexions qu'elle sursauta lorsque Mme de Mackau lui toucha l'épaule. Elle referma rapidement sa main sur le mot, qu'elle cacha dans un pli de sa robe.

– Eh bien, lui demanda la gouvernante, et vos devoirs ?

Contrairement à Mme de Marsan, Mme de Mackau ne criait jamais. Cependant, Élisabeth avait tellement l'habitude de répondre avec insolence qu'elle lui lança :

– Je m'en moque ! Allez-vous, vous aussi, m'assommer avec vos exercices qui ne servent à rien ?

– Ils vous serviront un jour, Madame, répliqua calmement la gouvernante. Ne faites pas votre mauvaise tête et mettez-vous au travail.

– Autant me punir tout de suite, car je n'obéirai pas ! Savez-vous que j'écris des lignes comme personne ? Combien en voulez-vous ? Cent ? Deux cents ?

Au lieu de se mettre en colère, Mme de Mackau éclata de rire !

– Vous préférez donc subir cent lignes de punition plutôt que d'effectuer six malheureuses opérations ? Vous êtes pourtant intelligente. Je suis sûre que vous les auriez terminées en cinq petites minutes. Tandis que les lignes...

Elle ne finit pas sa phrase et Élisabeth comprit toute l'absurdité de la situation. Mais, malgré tout, elle ronchonna :

– Je ne sais pas calculer.

– Non, ce n'est pas vrai. Vous possédez juste une tête très dure et vous n'aimez pas recevoir d'ordres.

Élisabeth se leva d'un bond, prête à se rebeller. Mais elle réfléchit et elle se rassit tout aussi vite : si elle montrait encore sa mauvaise humeur, Mme de Mackau ne la laisserait pas tranquille. Et puis... elle était bien obligée de reconnaître qu'elle avait raison.

– Très bien, je ferai mes devoirs, dit-elle de mauvaise grâce.

Mme de Mackau lui sourit aussitôt, avec gentillesse.

– Je vous aiderai, lui glissa-t-elle. Chaque jour, nous avancerons, petit pas par petit pas, jusqu'à ce que vous ayez envie d'apprendre seule.

Élisabeth la regarda avec surprise, la gouvernante n'avait pas l'air de se moquer d'elle...

Elle alla s'asseoir à sa table de travail et trempa sa plume dans l'encrier. Les opérations s'étalaient sur le papier… Après quelques instants à les observer avec une grimace, elle osa demander d'une petite voix :

– Angélique peut-elle revenir demain ?

Mme de Mackau soupira :

– Sa place est à l'école de Saint-Cyr, et non auprès d'une princesse.

Mais Élisabeth ne se démonta pas. Elle la fixa dans les yeux.

– Vous m'avez pourtant expliqué que j'étais quelqu'un comme tout le monde.

La femme sourit :

– Oui, mais Angélique doit, elle aussi, s'instruire. Pourquoi voulez-vous la voir ?

La jeune fille baissa le regard avant d'avouer avec franchise :

– Parce qu'elle est mon amie et qu'elle me manque.

– Vous avez raison, acquiesça la gouvernante, c'est une bien belle chose que d'avoir
une amie. Eh bien, Angélique ira à Saint-Cyr
après-demain et elle passera la journée de demain avec vous. Vous vous amuserez un peu
et… vous travaillerez beaucoup !

Élisabeth poussa un cri de victoire !

– J'accepte !

– Ah ça, se prit à rire Mme de Mackau, Angélique travaillera aussi ! Bien. À présent, oc-
cupons-nous de ces opérations, voulez-vous.
Allez, je vous aide…

Et, tête contre tête, la gouvernante et la
princesse se mirent à l'ouvrage.

Chapitre 10

Le lendemain matin, Élisabeth apprit que l'état de son grand-père avait empiré, au point que les médecins craignaient pour sa vie.

Une fois encore, on lui refusa l'autorisation de le voir. Le château résonnait de voix inquiètes, et Clotilde lui souffla en se rendant à la messe :

– Il nous faudra prier pour son âme, et aussi pour notre malheureux frère Louis-Auguste qui ne tardera pas à monter sur le trône.

Élisabeth acquiesça gravement. La mort rôdait souvent dans Versailles. La princesse avait déjà perdu ses parents et plusieurs frères et sœurs en bas âge.

Au retour de la chapelle, elle découvrit Angélique qui l'attendait dans le petit salon. Cela lui redonna aussitôt le sourire ! L'heure suivante se passa dans les appartements de Clotilde où eut lieu un cours d'italien des plus amusants avec l'agréable *signor* Goldoni.

Puis elle regagna ses appartements, bras dessus, bras dessous avec son amie.

– J'ai oublié de te dire que j'ai rendez-vous avec Théo à la barrière de ma terrasse à midi. Je lui montrerai l'automate et le mot.

– J'ai bien essayé de réfléchir à la phrase étrange, soupira-t-elle, sans arriver à rien...

Elle se tut car le professeur de français et de latin entrait. Élisabeth poussa un soupir à fendre l'âme. L'homme était un abbé[18] au visage aussi pâle, sous sa perruque blanche, que son costume était noir et étriqué.

---

18. Titre donné à certains membres de l'Église catholique.

– Avez-vous appris le texte de Montaigne que je vous ai donné ? demanda-t-il d'un ton pincé.

– Non, répliqua-t-elle, car je n'en comprends pas un mot !

– Et vos conjugaisons latines ?

– Pas davantage…

L'abbé de Montégut se redressa sur la pointe de ses souliers noirs, furieux :

– Ce qu'il vous manque, Madame, c'est une bonne punition pour vous ôter l'envie d'être paresseuse… Quelques coups de fouet, ou de règle sur les doigts, par exemple…

Mme de Mackau se racla la gorge pour l'interrompre :

– Monsieur l'abbé, j'aimerais vous entretenir un instant.

Elle attrapa l'homme par le bras et le poussa vers l'antichambre. Par la porte entrouverte, les filles entendirent :

– Ne pouvez-vous égayer vos cours avec des textes agréables ? Montaigne est un auteur bien compliqué pour une demoiselle aussi jeune. Je crois que ce qui conviendrait davantage à notre princesse, c'est d'apprendre en s'amusant.

Mais le professeur s'offusqua :

– On n'apprend pas en s'amusant, madame, on apprend... en apprenant, par cœur ! Elle doit faire des efforts ! Et si vous remettez en cause mon enseignement, je m'en plaindrai à Mme de Marsan, votre supérieure !

– Faites donc, monsieur ! Elle m'a donné carte blanche[19].

– Fort bien ! Puisque vous le prenez ainsi, faites vous-même cours à cette petite peste.

Et il sortit, très mécontent. Élisabeth se mit à pouffer, ravie :

– Nous voilà débarrassées de lui !

Mme de Mackau s'en revint en haussant les épaules d'un geste fataliste.

---

19. Être autorisé à faire ce que l'on veut.

– Je crains que ce monsieur ne se montre un peu susceptible. Tant pis ! Nous étudierons toutes les trois ! Je vous propose un peu de poésie...

La gouvernante ouvrit un recueil des *Fables* de La Fontaine. Après en avoir déclamé plusieurs en les mimant et en changeant de voix, elle les donna à lire aux jeunes filles et leur en demanda la morale. Pour une fois, Élisabeth comprit tout !

– J'ai adoré votre leçon de français ! conclut la princesse alors que Mme de Mackau leur accordait une récréation.

Elles passèrent sur la terrasse et Élisabeth prit aussitôt le mot dans son décolleté.

– «La flamme livrera le secret», répéta-t-elle une fois de plus. Et si...

– Et si quoi ? s'inquiéta Angélique en la voyant courir vers sa chambre en tenant ses jupes à deux mains.

Elle la suivit et la vit attraper un bougeoir qu'elle alluma aux braises de la cheminée.

– L'abbé de Montégut, expliqua Élisabeth alors que la mèche de la bougie prenait feu, m'a appris que certains papiers étaient fabriqués avec des dessins cachés... Il appelle ça des fil... filigranes[20]. Peut-être que, si j'approche le mot de la flamme, on apercevra un texte en transparence.

Elle le plaça devant la bougie et tenta de discerner quelque chose... sans résultat !

_____

20. Marque, dessin dans le papier fabriqué grâce à des fils entrelacés, et qui peut se voir par transparence. On en trouve, par exemple, dans les billets de banque.

– Flûte ! enragea-t-elle. Pas de filigrane.

Elle allait le replier lorsque Angélique l'arrêta :

– Regarde, Babet ! Des signes apparaissent !

Le cœur battant, Élisabeth le présenta de nouveau devant la flamme. Effectivement, la chaleur de la bougie dévoilait comme par miracle de minuscules caractères marron.

– Nous avons réussi ! s'écria-t-elle en sautant de joie. Vite, la loupe !

Elle s'en saisit et observa la mystérieuse écriture qui courait sur trois lignes. Hélas, Élisabeth ne tarda pas à déchanter.

– Serait-ce une langue étrangère ? Non, il s'agit d'un code !

– Que faites-vous ? lança Mme de Mackau en s'approchant.

Surprise, Élisabeth envoya promener loupe et mot !

– Eh bien, reprit cette dernière, sourcils froncés, répondez ! Je vous ai posé une question !

Elle repoussa sa fille et découvrit la princesse en train d'expédier la loupe du bout du pied sous un meuble.

– Donnez-moi ce papier, ordonna-t-elle, main tendue.

Élisabeth s'exécuta de mauvaise grâce. Voilà, c'en était fini de la belle aventure... La punition allait être sévère...

– Oh, fit la gouvernante en observant le mot, comme c'est curieux... Passez-moi donc la loupe.

– La loupe ? répéta Élisabeth d'un air faussement innocent. Quelle loupe ?

La femme la regarda d'un air entendu.

– Celle qui est glissée sous la commode, où vous l'avez cachée.

Une fois encore, elle dut obéir, non sans avoir soupiré d'agacement.

– Où avez-vous trouvé ceci ? poursuivit Mme de Mackau.

Au grand désespoir d'Élisabeth, Angélique déballa traîtreusement toute l'histoire. La princesse avait beau lui adresser des regards noirs, son amie n'oublia rien.

– Je ne peux mentir à ma mère! lui glissa-t-elle entre deux explications.

Mais, contrairement à ce que pensait Élisabeth, la gouvernante hocha la tête, satisfaite, avant de déclarer:

– Avoir fait apparaître l'encre sympathique grâce à la flamme était fort astucieux. Je vous félicite, Madame. Mais, à présent, vous devriez décrypter ce code, ajouta-t-elle en lui rendant le papier.

Élisabeth la regarda, bouche bée. Pas de punition? Mme de Mackau les encourageait à continuer? La princesse, un peu rassurée, osa demander:

– Qu'est-ce donc, de l'encre sympathique?

– Un liquide qui ne se révèle qu'à la chaleur.

Ce peut être du jus de citron ou du vinaigre blanc. Certains se servent même d'urine.

Élisabeth poussa un cri de dégoût, mais elle poursuivit, ravie :

– Et comment décrypte-t-on un code ?

– S'il n'est pas trop compliqué, vous y parviendrez sans peine. Tout d'abord, vous devriez recopier ce texte afin de le voir plus clairement.

Pour une fois, Élisabeth ne rechigna pas. Elle s'assit à sa table et commença à écrire sous la dictée d'Angélique, loupe en main.

Le résultat donna :

VUAX ZXUABKX RG JGSK G RG XUYK UHYKXBKF RK BOURUTOYZK OR BUAY SKTKXG G KRRK.

– Maintenant, lança Mme de Mackau, réfléchissez. Vous êtes loin d'être sotte...

Élisabeth mordilla le bout de sa plume, heureuse que la gouvernante la complimente. Elle sourit et répondit :

– Ces lettres représentent d'autres lettres, non ?

– Sans aucun doute. D'après vous, quelles sont les lettres les plus utilisées dans la langue française ?

La réponse sembla évidente à Élisabeth :

– Le E tout d'abord, mais aussi le L et le N, que l'on trouve dans les articles « le », « la » ou « un »…

– Bravo ! apprécia Mme de Mackau. Eh bien, réfléchissez encore…

– Il faut chercher les lettres les plus utilisées dans ce texte, qui seront sûrement des E, des L ou des N…

– Et, poursuivit Angélique, par déduction, le résultat nous apparaîtra !

– Dites, madame, s'étonna Élisabeth, pourquoi nous encourager à perdre notre temps à découvrir cette énigme, alors que nous devrions travailler ?

– Mais, se mit à rire la gouvernante, vous travaillez ! Vous êtes en train de résoudre un exercice de mathématiques !

– Vous vous moquez, se rembrunit la princesse. Je n'ai jamais appris les mathématiques, c'est bien trop compliqué pour moi !

– Point du tout !

Mme de Mackau attrapa la page, trempa la plume dans l'encre, et nota :

– Si, par exemple, A = E, B = J, C = V, etc. Que voudra dire ce texte ? N'est-ce pas une sorte d'exercice de mathématiques ?

Élisabeth se mit à rire à son tour :

– Je vais aimer vos mathématiques !

Et elles se lancèrent dans le décodage...

D'abord, elles perdirent beaucoup de temps en pensant que le G, que l'on retrouvait souvent, représentait le E. Puis Élisabeth réalisa :

– Non ! G est seul à deux reprises, c'est sûrement un A ! Le K désigne plutôt la lettre E.

Du coup, le dernier mot «KRRK» voudrait peut-être dire «ELLE».

– Donc, R équivaut à L, récapitula Angélique. Traduisons notre texte!

Cela donna:

VUAX ZXUABEX LA JASE À LA XUYE UHYEXBEF LE BOULUTOYZE OL BUAY SETEXA À ELLE.

Élisabeth réfléchit de plus belle.

– «OL» est sûrement «IL». Nous avons à présent le I! «JASE» veut peut-être dire «DAME». Essayons!

Le résultat donna:

VUAX ZXUABEX LA DAME À LA XUYE UHYEXBEF LE BIULUTIYZE IL BUAY METEXA À ELLE.

Mais cela ne les avança pas...

– Attends! s'écria Élisabeth en se levant brusquement. Ta mère parlait de mathématiques, elle a raison. Reprenons son exemple...

Et elle écrivit, tout en expliquant :

– Si A = G, peut-être que B = H, C = I, D = J et... E = K !!! C'est cela ! L'alphabet est décalé de sept lettres !

Dans la foulée, elle nota les vingt-six lettres de l'alphabet et leur équivalence codée. Cinq minutes plus tard, la solution leur apparaissait :

– *« Pour trouver la dame à la rose, observez le violoniste, il vous mènera à elle. »* Nous voilà avec un nouveau mystère !

– Qui est cette dame à la rose ? s'étonna Angélique.

– Une femme qui a disparu, sans doute. Et le violoniste ?

Élisabeth regarda l'heure à sa jolie pendule dorée posée sur la cheminée. Puis elle glissa un œil vers Mme de Mackau qui brodait, assise dans un coin de la pièce.

– Midi moins cinq, chuchota-t-elle à Angélique. Dans cinq minutes, Théo sera à la barrière. Nous le lui demanderons.

Elle s'étira, satisfaite comme elle ne l'avait pas été depuis bien longtemps. Elle, la princesse stupide, qui faisait le désespoir de Mme de Marsan, avait décrypté un code secret !

Dans la pièce d'à côté, les domestiques dressaient la table pour le repas. Élisabeth se tourna vers la gouvernante :

– Pouvons-nous sortir nous dégourdir les jambes ?

– Bien sûr ! Votre « travail » avance-t-il ? s'enquit-elle ensuite avec un sourire.

– À grands pas, madame, grâce à vous !

Et Élisabeth passa dans sa chambre pour prendre l'automate.

Les deux filles sortaient sur la terrasse alors que l'adolescent arrivait. Il ôta son tricorne pour les saluer et se colla contre la barrière.

– Est-ce là l'automate de mon grand-père ? demanda le garçon en tendant le doigt vers la boîte à musique.

Élisabeth glissa la musicienne entre deux barreaux, pour qu'il puisse la saisir et l'observer de plus près, puis elle lui raconta leurs découvertes :

– Le mot que nous avons sorti du clavecin parle d'une dame à la rose...

– La dame à la rose ! s'écria Théo, tout excité. Il s'agit d'un portrait de grand prix qui appartenait aux Villebois ! Un chef-d'œuvre du grand Antoine Watteau, le peintre le plus célèbre du début de notre siècle !

– D'après le mot, le tableau aurait disparu.

– C'est une longue histoire.

La princesse regarda vers ses appartements. Hélas, on allait bientôt l'appeler pour le déjeuner. Mais elle était trop curieuse :

– Racontez, vite !

– Eh bien... Il y a plus de trente ans, mon grand-père hérita de la collection de peintures familiale, dont ce tableau était le joyau. Son frère cadet, qui était couvert de dettes et qui le jalousait, l'accusa d'avoir détruit le testament de leur père et d'en avoir fabriqué un faux qui l'avantageait. Il lui fit un procès, qu'il perdit. Fou de rage, il essaya de s'introduire une nuit dans notre château pour voler la toile... Alors, mon grand-père décida de la dissimuler.

– Oh ? Pour être sûr que son frère ne la vole pas ?

– C'est cela. Et comme il mourut brutalement, il n'eut pas le temps d'indiquer la cachette à ma grand-mère. Il lui déclara seulement qu'il avait laissé des indices.

– Pensez-vous qu'on l'ait assassiné ?

Théo soupira, l'automate serré contre lui.

– Je le pense, mais je ne peux rien prouver. Tout cela s'est déroulé voilà bien longtemps ! Ensuite mon grand-oncle détourna tous nos biens, sous prétexte que ma grand-mère n'était qu'une faible femme, incapable de s'en occuper. Ah çà ! Il paraît qu'il est devenu enragé lorsqu'il s'est rendu compte que la toile avait disparu ! Mais, en un an, il a tout vendu. Aujourd'hui, mes parents ne possèdent plus qu'un vieux château délabré près de Versailles, et quelques terres qui nous rapportent tout juste de quoi vivre.

Les deux amies se regardèrent, émues par les malheurs de Théo. Angélique lui glissa, pour lui donner un peu d'espoir :

– Votre grand-père a bien laissé des indices. Nous en détenons un. Peut-être pourrions-nous retrouver le tableau ?

– Ce serait merveilleux ! s'écria-t-il.

Mais aussitôt, il baissa la tête, découragé :

– Hélas, je n'y crois guère ! Pendant trente ans, ma famille a cherché dans tout le château, de la cave au grenier, sans résultat !

– Sur le mot codé, poursuivit Élisabeth, il est noté qu'il faut observer le violoniste. Savez-vous ce que cela veut dire ?

Le pauvre Théo sembla encore plus déçu.

– Nous n'avons pas les moyens de nous payer les services d'un musicien ! C'était sans doute le cas du temps de mon grand-père, mais à présent...

– Attention, lança Angélique, la porte du salon s'ouvre ! C'est l'heure du repas.

Le jeune page leur rendit l'automate, et les filles se dépêchèrent de rentrer.

Chapitre 11

Mme de Marsan avait rejoint Mme de Mackau avec qui elle discuta longuement à voix basse.

– Oh oh, souffla Angélique qui n'aimait guère Mme de Marsan et n'avait pas envie de la croiser. Je file. Je mangerai avec les serviteurs. À tout à l'heure.

Elle s'éclipsa discrètement en direction des locaux réservés aux domestiques, tandis que Clotilde et Élisabeth s'asseyaient à table devant de luxueuses assiettes de porcelaine et des couverts d'argent.

D'ordinaire, Mme de Marsan surveillait chacun de leurs gestes. Aujourd'hui, elle n'en fit rien et demanda même aux valets d'activer le service. Le repas à peine terminé, elle disparut avec Clotilde.

Angélique en profita pour revenir. Dieu, qu'elle avait l'air grave, elle aussi !

– Que se passe-t-il ? s'inquiéta Élisabeth.

Mme de Mackau posa une main sur son épaule et lui annonça :

– La Cour quitte le château demain. Je vous accompagne. La petite vérole est une maladie très contagieuse, souvent mortelle. La famille royale doit absolument se mettre à l'abri.

– Mais... et Angélique ?

– Angélique va entrer à Saint-Cyr, vous le savez bien. Je vous laisse, poursuivit-elle en s'éloignant, je dois donner des ordres afin que l'on prépare vos bagages.

Élisabeth regarda son amie. Elle sentit son cœur s'affoler. Comment pouvait-elle partir en la laissant derrière elle ? Et Théo ? Et leur enquête ?

– Madame de Mackau ! s'écria-t-elle. S'il vous plaît ! Je veux qu'Angélique m'accompagne.

La gouvernante se retourna. Elle arborait déjà un sourire d'excuse.

– Non, je suis désolée. Vous... êtes une princesse, et elle n'est que ma fille...

– Je m'en moque !

– Allons, Madame, soyez raisonnable. Inutile d'insister.

– Non ! s'écria Élisabeth. Je vous déteste !

La colère la submergeait, une de ses horribles colères qu'elle ne pouvait contrôler. Le souffle court, elle se tourna vers la fenêtre. Elle avait besoin d'être seule... Alors, sans plus réfléchir, elle courut sur la terrasse, sauta la barrière et partit se perdre dans les jardins.

– Babet ! hurla la voix inquiète d'Angélique dans son dos.

Elle la retrouva au pied d'un arbre où elle s'était réfugiée. Roulée en boule, Élisabeth brailla :

– Laisse-moi ! Je suis trop malheureuse ! Personne ne s'intéresse à moi ! Personne ne s'occupe jamais de ce que je ressens !

– Mais si. Moi, je suis là...

– Demain, je quitte le château... Toi, tu vas aller à Saint-Cyr. Tu y rencontreras plein d'autres filles et tu m'oublieras ! rétorqua rageusement la princesse.

– Tu te trompes. Comment pourrais-je t'oublier ? Tu es mon amie ! Babet ! poursuivit-elle en secouant son épaule.

– Vrai ? demanda Élisabeth en s'asseyant, le visage écarlate.

– Vrai ! Et ma mère t'aime, elle aussi. Elle ne cesse de raconter combien tu es jolie et intelligente malgré tes airs de peste.

– Vrai ? répéta-t-elle, tout étonnée et un peu apaisée.

– Vrai ! Si elle refuse que je vienne avec toi, c'est parce qu'elle rêve de me voir entrer dans une bonne école...

– Une bonne école ? Alors... Alors... rien n'est perdu !

– Quoi ? s'étonna à son tour Angélique.

Elle vit Élisabeth se lever d'un air décidé, sa colère envolée, et l'entendit déclarer :

– Rentrons vite !

Quelques minutes plus tard, elles regagnaient le salon.

– Excusez-moi, madame, lança Élisabeth, les joues rouges et les cheveux décoiffés. Je ne le ferai plus.

– Je ne vous en veux pas, soupira la gouvernante, je vous comprends. Mais j'étais fort inquiète. À l'avenir, Madame, ne vous emportez plus ainsi.

Élisabeth acquiesça de la tête et reprit d'une petite voix :

– J'essaierai. J'aimerais vous parler. Je souhaiterais qu'Angélique reste avec moi, tout le temps… Vous désirez pour elle la meilleure éducation. Or on veut faire de moi la princesse la plus instruite d'Europe. Elle pourrait profiter de l'enseignement que l'on me donne. Nous étudierions ensemble. En échange, je vous jure que je vous obéirai en tout. J'apprendrai, je serai sage... enfin, je tâcherai de l'être... ajouta-t-elle en ébauchant une grimace. Je me suis souvent montrée rebelle, parce que j'étais malheureuse et que personne ne m'aimait. Mais, à présent, j'ai une amie... et je vous ai, vous.

Les yeux de la gouvernante s'embuèrent de larmes. Elle afficha un grand sourire :

– J'accepte !

Élisabeth poussa un cri de joie, puis elle se jeta dans les bras d'Angélique.

Chapitre 12

Le lendemain après-midi.

Les valets transportaient les malles vers les carrosses, telle une colonne de fourmis bien ordonnée. Le départ approchait.

– Le roi est mort ! Vive le roi !

Le cri résonna tout à coup dans le couloir, repris par de nombreuses voix. Puis il y eut une cavalcade. On aurait dit qu'un troupeau piétinait les parquets !

Élisabeth blêmit.

– Grand-papa Roi !

Mme de Mackau la serra contre elle, caressant ses boucles châtains et embrassant sa tempe.

– Ma pauvre petite, chuchota-t-elle.

Élisabeth sentit des larmes lui échapper. Elle aimait bien ce grand-père, bien qu'elle ne le voie pas souvent. Il se montrait gentil, attentionné, farceur même quelquefois.

– Où courent tous ces gens, s'inquiéta-t-elle.

– Ils veulent être les premiers à féliciter votre frère Louis-Auguste et son épouse Marie-Antoinette.

Effectivement, dans les couloirs, on entendait « Vive Louis XVI ! » ou « Vive la reine ! ».

– Les malheureux ! soupira Mme de Mackau. Ils sont bien trop jeunes pour gouverner un pays. Que Dieu les aide !

Puis elle se reprit et s'écarta :

– Dépêchons-nous, nous devons partir pour le château de Choisy.

Angélique entra, une cape jetée sur sa robe blanc et bleu.

– Grand-papa Roi est mort, lui annonça Élisabeth. Je n'ai plus de famille.

Angélique alla l'embrasser.

– Tu as encore tes frères et ta sœur, la consola-t-elle à voix basse. Et puis, tu m'as, moi. Jamais je ne t'abandonnerai !

Elle sortit un mouchoir de sa poche qu'elle lui tendit, et lui annonça :

– À Choisy, nous poursuivrons notre enquête.

– Comment ? Nous n'avons aucun indice.

– Que nenni ! J'en ai un nouveau ! Te souviens-tu qu'à l'origine les automates formaient un orchestre ?

– Oui, acquiesça Élisabeth en reniflant.

– Une joueuse de clavecin, une flûtiste et...

– Un violoniste ! Bien sûr ! Mais, où le trouver ? Théo a dit qu'il avait été vendu.

– Oui, à ton grand-père ! Mon voisin, l'horloger, s'est renseigné. Le violoniste se trouve à Choisy.

Élisabeth la regarda, surprise.

– C'est là où nous nous rendons !

– Théo y sera aussi, pour s'occuper de Framboise.

– Alors, l'enquête continue ?

– Oui, lança Angélique avec un sourire, et nos aventures aussi !

À suivre...

Les coiffures des nobles et des bourgeois de cette époque sont très compliquées: crêpage, tresses, postiches, rouleaux... Se faire coiffer prend un temps fou!

Les messieurs se font friser les cheveux en rouleaux sur les côtés et portent une queue de cheval attachée par un ruban noir sur la nuque. Leur chevelure est couverte de poudre parfumée couleur blanche, grise ou rousse.

Les hommes qui ne possèdent pas de beaux cheveux se font raser la tête et portent des perruques. Elles sont fabriquées à partir de cheveux humains que vendent des femmes dans le besoin. Les serviteurs de maisons riches portent aussi des perruques, mais fabriquées à partir de crinière de cheval.

À la Cour, les femmes imitent la reine Marie-Antoinette en tout. À son arrivée en France, en 1770, elle se coiffe d'un chignon poudré, avec des boucles qui tombent dans son cou. Dès les années 1775, elle lance la mode des hautes coiffures. Bientôt celles-ci atteignent des tailles ridicules. Elles sont surmontées de bonnets de dentelles, de plumes, de fleurs, d'oiseaux ou même d'objets, comme le «pouf à la Belle-Poule» représentant un bateau à voile.

À partir de 1780, la reine revient à des coiffures plus simples, des chignons bas avec des boucles ou des chignons crêpés surmontés de dentelles.

Les gens du peuple, eux, se contentent, pour les hommes, de cheveux courts ou d'une petite queue de cheval, et pour les femmes, de chignons simples ou de tresses.

Élisabeth, comme la plupart des filles de son âge, porte ses cheveux libres avec un ruban, ou encore un chignon.

Plan de Versailles

1 Rez-de-chaussée de l'aile du Midi, appartements de Clotilde et Élisabeth.

2 Terrasse d'Élisabeth (fermée par une barrière de fer et décorée d'orangers et de jardinières).

3 Appartements de Louis-Auguste.

4 Appartements privés du roi Louis XV.

5 Galerie des Glaces et Grands Appartements du roi.

6 Chapelle.

7 Place d'Armes.

8 Grandes Écuries.

9 Église Saint-Louis.

10 Grand Commun.

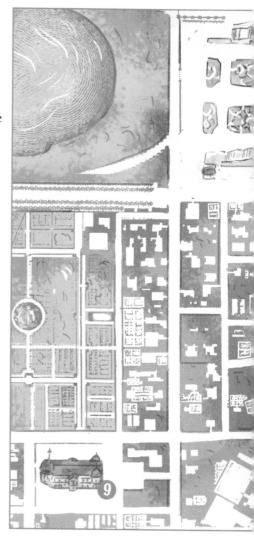

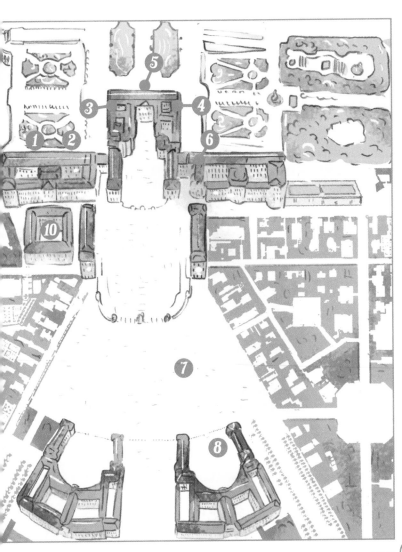

Conception graphique : Delphine Guéchot

Imprimé en France par Pollina S.A. en mai 2015
Dépôt légal : septembre 2015
Numéro d'édition : L72313
ISBN : 978-2-226-31571-7